petit roman

Cécile Le Floch

Illustrations de Claire Delvaux

# EN COMPAGNIE DES ANIMAUX

RAGEOT

ISBN : 978-2-7002-3860-0
ISSN : 1965-8370

# Trop de bestioles!

**A**vec mes parents, cela fait une semaine que nous avons emménagé dans une grande maison à la campagne.

Il y a un jardin immense. Enfin, pour l'instant il y a une jungle immense : des ronces, des arbres déracinés, une remise en bois à moitié écroulée et de l'herbe qui m'arrive aux genoux.

Avant, nous habitions dans un petit appartement tout près de l'autoroute. Ça change d'ambiance !

Si bien que ce matin, comme chaque matin depuis une semaine, maman ouvre les volets et s'écrie :

– Ah ! Quel calme !

C'est vrai que même la fenêtre et les oreilles grandes ouvertes, on n'entend que le chant des oiseaux. Jusqu'au moment où je vois passer sur le carrelage de la cuisine un truc horrible. Aussitôt, je monte sur ma chaise et je hurle :

– Au secours !

– Que se passe-t-il Hugo ? Tu as vu un fantôme ou quoi ? demande papa avec un grand sourire.

Je secoue la tête en tremblant.

– Bien pire qu'un fantôme, une souris !

La campagne c'est calme mais… il y a trop d'animaux : des vaches et des moutons dans les champs alentour, des araignées, des fourmis et des souris dedans comme dehors.

Sans compter le gros chien de la ferme d'à côté qui bave et me terrifie. Moi, les  animaux moins je les vois, mieux je me porte, petits ou grands, de près comme de loin.

Maman, qui ne s'étonne plus de mes crises de panique, s'interroge à voix haute :

– Comment est-elle arrivée là, cette bestiole ?

– Elle a dû entrer par la porte-fenêtre, répond papa en replongeant dans son bol de café.

– Descends de là, Hugo, et finis ton petit-déjeuner, me conseille maman.

– Pas tant qu'ELLE sera là ! je m'écrie en claquant des dents.

– Bon, moi, j'ai une pelouse à tondre, décrète papa.

– Je vais demander à Thérèse, la voisine, comment elle se débarrasse des souris, décide maman.

– Je viens avec toi ! je dis en sautant de mon perchoir.

Pas question que je reste en compagnie de ce rongeur ! J'emboîte le pas à maman, direction la ferme des voisins. Même si chez eux il y a plein d'animaux, je ne me sens pas assez costaud pour un tête-à-tête avec une souris des champs !

# Mort aux rats!

À peine avons-nous sonné que l'énorme chien du fermier nous accueille d'un terrible ouah ouah!

Je me cache derrière maman, pour un peu je lui donnerais la main, mais une petite fille ouvre la porte. Elle a un très beau sourire et semble avoir mon âge.

Je l'ai déjà aperçue hier et avant-hier. Je jouerais bien avec elle, si elle n'avait pas tout le temps une chose à plumes ou à poils dans les bras. L'autre jour c'était un canard et ce matin c'est… une poule !

– Bonjour Thérèse, une souris s'est installée à la maison, connaissez-vous un moyen de nous en débarrasser ? questionne maman.

– Julie, va chercher Morora, ordonne Thérèse à la petite fille.

– De la mort aux rats ? s'étonne maman. Vous voulez dire le poison ? Oh, je n'aime pas trop cela, je préférerais quelque chose de moins chimique.

– Ah, mais Morora est très efficace, réplique la voisine. Ni les souris ni les araignées ne lui résistent !

Il me paraît formidable ce produit, pourtant maman hésite.

Bien sûr, elle, elle attrape les araignées sans problème dans la baignoire pour les jeter dehors, alors que moi j'ai des frissons rien que d'y penser.

– Salut, je suis en vacances chez mes grands-parents. On pourrait jouer ensemble, me propose Julie en posant sa poule par terre.

– Oui, oui, ce serait super, je réponds en surveillant le volatile du regard.

Je ne sais pas pourquoi, j'ai peur que les poules se jettent sur moi.

Déjà, Julie disparaît en courant. Maman suit Thérèse dans la cuisine et… je reste seul avec la poule qui se rapproche de plus en plus.

Je recroqueville mes orteils dans mes baskets et recule dans la cour de la ferme. C'est alors qu'une grosse langue baveuse me lèche les mollets.

Je me retourne d'un bond et me retrouve face au monstrueux chien. Beurk, il me renifle les doigts de pied ! J'en ai le souffle et les jambes coupés, ce qui m'empêche à la fois de hurler et de m'enfuir très très loin.

– Tu as peur de Calinou ? demande Julie qui est revenue.

– Non, non, je bredouille en découvrant l'énorme chat qu'elle tient à présent dans ses bras.

– J'adore venir à la campagne, c'est formidable, il y a plein d'animaux !

– Ouais, trop super, je confirme du bout des lèvres.

– J'aimerais avoir un chien ou un chat ou peut-être un lapin, mais mes parents ne veulent pas. Ils disent qu'en ville ce n'est pas facile, continue Julie.

– Viens, on rentre, Hugo, me prévient maman en quittant la ferme.

C'est alors que Julie donne le chat à ma mère.

– Mais pourquoi tu prends ce chat ? je la questionne les yeux exorbités.

– Parce que Morora est le plus grand tueur de souris du monde ! s'écrie Julie.

– Il va vous débarrasser des vilaines bestioles qui te font peur, m'informe la voisine.

Devant le sourire qui naît sur le visage de Julie, je rougis.

– Je savais bien que tu avais peur, elle remarque en m'adressant un clin d'œil.

– Julie, arrête de taquiner ce pauvre Hugo ! tonne une voix dans notre dos.

– Bonjour François, déclare maman en se retournant.

– Alors, vous vous plaisez par chez nous ? demande le fermier.

– Ah oui ! C'est tellement calme ! s'écrie maman.

Et juste à ce moment-là, la tondeuse de papa se met à pétarader si fort que la poule déguerpit en gloussant.

# Tondeuse de ville, tondeuse des champs

**D**e retour à la maison, maman pose le chat par terre. Même si je n'aime pas les souris, je n'ai aucune envie d'assister à un assassinat.

J'y pense, si le chat a le ventre plein, il n'aura plus envie de dévorer une souris…

Alors pendant que maman a le dos tourné, je glisse mon bol de lait sous le buffet. Aussitôt Morora se met à laper. Avant d'être un gros chasseur, je crois que c'est un gros gourmand !

La souris est sauvée, j'en profite pour filer au jardin.

Papa s'y amuse comme un fou. Il a déjà tracé un chemin au milieu de l'herbe.

Il attaque un endroit où la pelouse semble encore plus haute, c'est à peine si on voit la tondeuse sous ce déluge vert. Soudain, un bruit étrange se fait entendre : peuf, peuf, peuf…

– Papa ? C'est normal ce bruit ? je hurle pour couvrir le tintamarre.

Il n'a pas le temps de me répondre que le moteur crache une épaisse fumée.

– Papa ? C'est normal la fumée ?

Et soudain, dans un bang assourdissant, la tondeuse s'arrête !

– Ah, que c'est bon le calme ! s'exclame François de l'autre côté du muret.

Papa, lui, grimace fort en se penchant sur son jouet cassé et fumant.

– Je crois que l'herbe était trop haute pour elle, soupire-t-il.

– Évidemment avec un engin pareil ! remarque le voisin.

– Ah bon ? Elle n'est pas bien cette tondeuse ? Pourtant le vendeur m'a assuré que… bredouille papa.

– C'est une machine de la ville, ça ! Ce qu'il vous faut c'est quelque chose qui s'adapte au terrain, continue le fermier.

Julie s'approche. Cette fois, un lapin est niché au creux de ses bras.

– Tu veux le caresser ? elle me propose.

– Euh, non, merci, je réponds en reculant prudemment bien qu'il y ait une barrière entre nous.

Papa se gratte la tête en regardant notre jungle.

– Je ne sais pas comment je vais venir à bout de tout cela !

– J'ai ce qu'il vous faut, affirme François.

Puis il s'adresse à Julie :

– S'il te plaît va chercher la tondeuse la plus efficace du monde !

Julie abandonne son lapin et court vers la grange. Décidément, cette fille ne sait pas marcher.

Elle revient en tirant une corde au bout de laquelle est attaché un animal avec des cornes. J'en ai déjà vu dans des livres et à la télé, mais je ne sais plus comment cela s'appelle !

– Enfin, François, c'est une chèvre, pas une tondeuse ! s'exclame papa, déçu.

Une chèvre ! Voilà, je le savais !

– Elle s'appelle Clarinette et elle est très gentille, tu verras, m'informe Julie en glissant la corde entre mes mains.

– Avec elle, pas de panne, pas de perte de temps, pas de fumée, elle fait le travail toute seule. Et pas un brin d'herbe ne dépassera, promet François.

– Mais ça va prendre très longtemps, proteste papa.

Dans notre dos retentit le rire de maman.

– Une chèvre en guise de tondeuse, quelle bonne idée ! À nous le silence des dimanches matin ! s'écrie-t-elle.

– Le chant des oiseaux à la place d'un concert de pétarades, vous allez enfin profiter de la campagne ! renchérit le fermier.

– Bêêê ! confirme Clarinette.

Ce qui fait rire tout le monde… sauf papa.

# Drôle de brouette

– **H**ugo, au lieu de rire, penche-toi sur ton cahier de vacances ! gronde papa qui n'apprécie pas qu'on se moque de lui.

– Toi aussi Julie, je crois que tes parents t'ont laissé des devoirs, enchaîne François.

Je soupire. À quoi ça sert d'être en vacances si c'est pour travailler ?

– Si tu veux, on les fait ensemble, propose Julie, je vais chercher mes affaires.

– C'est une super idée, je reconnais.

Mais elle a déjà disparu.

Je lâche la corde de Clarinette et cours à la maison. Au passage je m'aperçois que Morora, les moustaches blanches de lait, s'est endormi sur mes chaussons. Je crois que la souris peut danser tranquille !

Lorsque je reviens dans le jardin, Julie a étendu une couverture sur l'herbe, Clarinette broute à ses côtés et papa démonte la remise à moitié écroulée.

Je m'allonge et commence un exercice
de maths. Lorsque je relève la tête, je
tombe nez à nez avec la chèvre, qui me
fixe de ses yeux globuleux.

Une touffe d'herbe dépasse de sa
bouche. Ses grandes dents jaunes sont si
près qu'elle pourrait m'avaler d'un coup
si elle le voulait.

D'un air détaché, je demande :

– Les chèvres ne mangent pas de viande, hein ?

– C'est assez rare qu'elles dévorent les garçons. Quoique, ceux qui viennent de la ville, peut-être… répond Julie en me donnant un coup de coude.

Moi, contrairement à papa, ça ne me dérange pas qu'on se moque un peu de moi, et puis Julie le fait si gentiment…

– Hugo ! Viens m'aider ! hurle papa.

Je me lève d'un bond et cours le rejoindre au fond du jardin.

– S'il te plaît, tu peux arracher les clous des planches que j'ai posées là ?

– Tout de suite ! je m'écrie.

Et je fonce chercher la caisse à outils.

Pendant que papa entasse les planches de la vieille remise, je tire de toutes mes forces sur les clous rouillés avec la tenaille.

– L'idéal, pour enlever tout ce bazar, grogne papa, ce serait une brouette… ou mieux un tracteur !

– Ça, c'est une mission pour moi, s'écrie Julie que nous n'avions pas entendue approcher.

Et elle disparaît aussi vite qu'elle est arrivée. Cette fille, c'est un TGV!

– À ton avis, avec quoi va-t-elle revenir? me demande papa. Un chat-épouvantail-à-souris, une chèvre-tondeuse-à-gazon, une poule-avaleuse-de-limaces? Un éléphant-tractopelle, peut-être?

Nous n'attendons pas longtemps la réponse.

Julie entre fièrement dans notre jardin, tenant la bride non pas d'un éléphant mais d'un… cheval!

– Je vous présente Moustique ! dit-elle d'un air rieur.

– C'est un genre particulier de brouette, mais vous verrez on peut compter sur lui ! nous informe François qui accompagne sa petite-fille.

Moustique est un géant ! Aussi grand que papa et tellement énorme que le jardin paraît minuscule une fois qu'il est dedans.

Papa et François nouent des cordes autour des planches avant de les attacher à la selle du cheval.

– Hue, Moustique ! ordonne François.

Et comme par magie, le gros tas de ruines se met en marche.

Julie me glisse à l'oreille :

– Va voir Clarinette, elle a une surprise pour toi…

Je lui jette un coup d'œil étonné, et je m'approche lentement de la chèvre. Ce n'est plus de l'herbe qui dépasse de sa bouche, mais quelques pages de mon cahier de vacances. Elle a l'air de se régaler !

C'est drôlement sympa une chèvre !

# Le roi des Tarzan!

Lorsque je retourne au fond du jardin, je découvre Julie grimpée sur le dos du cheval. Elle me tend la main pour que je la rejoigne.

– Non, je ne suis pas sûr, je réponds.

Moustique frotte alors sa gigantesque tête contre mon épaule, ce qui m'arrache un cri. Julie rigole.

– Je crois qu'il t'aime beaucoup. Tu n'as plus qu'à lui donner des carottes à manger, et il deviendra ton meilleur ami.

– Pas maintenant, je réplique, j'ai plein de trucs à faire.

En vrai j'adorerais rester avec elle, mais j'ai peur que Moustique me marche dessus. Et il pourrait confondre mes doigts avec les carottes. Pourtant, je lui offrirais ma part avec plaisir car je déteste les carottes !

Je récupère des planches en bon état et je grimpe dans un arbre. Avec le marteau et quelques clous, je commence à construire une petite cabane.

Dans l'appartement, je m'étais aménagé un coin sur le balcon. Maintenant, j'ai bien plus de place, de quoi bâtir un observatoire à étoiles et une cachette anti-devoirs. Je demanderai de vieux draps à maman pour fabriquer un hamac et un parasol.

En bas, j'entends Julie qui crie :

– Hue ! Hue !

Son « tracteur » lui obéit et tire les morceaux de bois jusqu'à la grange où papa et François les empilent avant de les scier pour la cheminée cet hiver.

Au bout d'un moment, je suis tellement absorbé que j'oublie tout. À califourchon sur une branche, je finis de clouer le sol de la cabane.

– Hugo, tu m'invites dans ton perchoir ?

Je baisse les yeux, c'est Julie, un poussin dans chaque main.

– Toi oui, mais les animaux sont interdits !

Elle fait la moue avant de lever les yeux au ciel.

– Sois sympa, ce ne sont que des bébés ! Allez, prends-les, Hugo !

Je soupire et me penche vers elle, les mains en avant. Au creux de mes paumes, elle glisse les deux poussins.

– Alors ? me demande-t-elle, les yeux tout pétillants.

– Tu es sûre qu'ils ne mordent pas ?

– Comment veux-tu qu'ils mordent ? Ils n'ont pas de dents !

– Leurs pattes me chatouillent, mais leur poil est tout doux, je constate.

– Les poussins n'ont pas de poils, mais des plumes ! Garçon de la ville, va ! se moque Julie pendant que je dépose les oiseaux sur le sol de la cabane.

– Tu m'aides, s'il te plaît. J'ai le vertige, elle supplie d'une petite voix.

– C'est à peine plus haut que le cheval, pourtant ! je m'étonne.

– J'ai peur, c'est tout, elle avoue.

– Accroche-toi à moi, je lui ordonne.

Elle s'agrippe à mes bras en claquant des dents, comme lorsque j'ai aperçu la souris ce matin.

Arrivée sur ma plateforme, elle s'écrie :

– Hugo ! Tu es vraiment le roi des Tarzan !

Gêné par son compliment, je rougis.

– Et toi, tu es la reine des animaux !

Elle rigole et j'ajoute :

– Si tu veux, je fabriquerai une maison à oiseaux ou un abri pour les coccinelles…

– Et pourquoi pas les deux ? elle questionne avec un grand sourire.

– D'accord pour les deux ! je décide.

Folle de joie, elle saute en l'air, ce qui déclenche une petite secousse du sol de notre future cabane.

– Au secours ! hurle-t-elle.

C'est à ce moment que maman nous appelle :

– Les enfants ! Venez, on va au marché.

# Deux nouveaux amis

**J**e ne suis pas très fan du marché, car maman y achète un tas de légumes beurk. Mais l'idée plaît à Julie, alors je suis tout le monde sans me plaindre.

Je continuerai la cabane plus tard.

Sur la place du village, il y a des légumes mais pas seulement. Je m'approche d'une grande cage posée par terre.

– Maman ! Je veux des poussins comme Julie, je crie.

Aussitôt, mes parents se précipitent vers moi.

– Hugo, ce ne sont pas des peluches, mais de vrais oiseaux, ricane papa.

– Ils se transformeront bientôt en poules, tu sais, ajoute maman.

– Allez, dites oui ! Ils sont tellement mignons et doux. Je leur fabriquerai un enclos près de la cabane. Dites oui ! je supplie.

– Ils auront leur place dans ma basse-cour, le jour où Hugo n'en voudra plus, propose Thérèse.

– D'accord, décide papa, sortant son porte-monnaie. On en prend deux.

La vendeuse les met dans une boîte à chaussures trouée pour qu'ils puissent respirer. Je les sens s'agiter à l'intérieur.

Sur le chemin du retour, je demande à Julie :

– Tu m'expliqueras comment donner des carottes à Moustique sans qu'il m'avale le bras ?

– Et toi, tu me montreras comment fabriquer une maison à oiseaux ? Ce soir, si tu veux, on observera les chauves-souris, elle ajoute.

– Euh, non, ça c'est pas obligé ! je proteste et elle éclate de rire.

J'attrape sa main et je l'entraîne vers le jardin. Je crois qu'on va passer des belles vacances à la campagne tous les deux.

# L'auteur

Comme Hugo, **Cécile Le Floch** a quitté la ville pour s'installer à la campagne. Chez elle, le chant des oiseaux accompagne le petit-déjeuner ; on trouve un gros chien baveux ; des chats plus gourmands que chasseurs (quoique) ; des chèvres qui tondent la pelouse, taillent les rosiers et ne détestent pas dévorer quelques livres à l'occasion ; des araignées et des souris qui entrent et sortent à leur guise.

Mais vous n'y verrez pas de poules, car lorsque, petite fille, elle passait ses vacances chez ses grands-parents, les poules facétieuses picoraient ses doigts de pieds vernis. Depuis, elle s'arrange pour éviter ces volatiles…

Retrouvez la collection

petit roman

SUR **WWW.RAGEOT.FR**

Achevé d'imprimer en France en février 2012
par l'imprimerie Clerc.
Dépôt légal : février 2012
N° d'édition : 5531 – 01